D1379516

PRAHA DEŠTĚM OMYTÁ   JIŘÍ ŠOUREK

s předmluvou Jana Řezáče

© text Jan Řezáč
© fotografie Jiří Šourek
© 2007 Artfoto Praha
ISBN 80-86085-96-1

Monumentální mísa z žulového kamene v Rajské zahradě Pražského hradu
Monumental granite vessel in the Paradise Garden of Prague Castle
Monumentales Granitbecken im Paradiesgarten der Prager Burg
Le Château de Prague: Vase monumental de granit dans le Jardin du Paradis
Il Castello di Praga: Vaso monumentale di granito nel Giardino del Paradiso
Fuente monumental de granito en el jardín del Paraíso del Castillo de Praga
Монументальная мраморная чаша в Райском саду

Zpívající fontána v Královské zahradě Pražského hradu
The Singing Fountain in the Royal Garden of Prague Castle
Die Singende Fontäne im Königlichen Garten der Prager Burg
Le Château de Prague: La fontaine chantante du Jardin royal
Castello di Praga: La fontana cantante nel Giardino reale
La fuente Cantarina en el jardín Real del Castillo de Praga
«Поющий фонтан» в Королевском саду Пражского Града

Pražský hrad od Rudolfina
Prague Castle from the Rudolfinum hall
Die Prager Burg vom Rudolfinum aus
Le Château de Prague vu du Palais Rudolfinum
Il Castello di Praga visto dal Palazzo Rudolfinum
El Castillo de Praga visto desde el Rudolfinum
Пражский Град – вид со стороны дворца Рудольфинум

4

PRAHA
PRAGUE
PRAG
PRAGA
ПРАГА

ARTFOTO

Pražské mosty
Prague bridges
Prager Brücken
Les ponts de Prague
I ponti di Praga
Los puentes de Praga
Пражские мосты

Je nadmíru povážlivé vykročit, byť dobře připravenými tvůrčími záměry, do ulic tohoto uhrančivého města. O neklidně emocionální půdorys Prahy postarali se totiž dávno před námi sama jedinečná historie a v jejím bouřlivém toku přímo zevnitř věčné krásy a všech jejích tajemství nesmrtelní básníci, výtvarní umělci… a fotografové. A nesmíme pochopitelně zapomenout na stále početnější „nahodilé návštěvníky", kteří se podle nejpřitažlivější tradice lásky zamilovávají na první pohled.

V době, kdy knihy a pohlednice jsou zaplavovány až reklamně falešnými barvami, nemohou se skuteční fotografové nerozpomenout na černobílé zázraky svých předchůdců, kteří si beztoho stále uchovávají své neotřesitelné postavení v opravdových dějinách fotografie.

Jsem přesvědčen, že právě tohle vedlo Jiřího Šourka, autora několika výjimečných knih o Praze, k černobílému vybočení. Přitom není pochyb o tom, že jeho pragensie „Praha. Fotografické variace" či „Praha. Obrazový průvodce historickou částí města" nás svou originální expresívností s konečnou platností přesvědčily o tom, že barevná fotografie před ním už neskrývá žádná překvapení. Cesta „zpátky" k černobílému obrazu není tedy vůbec jen nostalgie, kterou nám všem zanechal jako nádherné prokletí Josef Sudek, nebo jako v jiných oblastech nekonečného prožívání Prahy Franz Kafka či Jaroslav Hašek.

Jiří Šourek, fotograficky zahleděný do poezie pražského tématu, je sdostatek zkušený i poučený autor. Dobře ví o tom, že černobílá fotografie nemůže nikdy úplně zmizet ze světa. Už navěky bude hájemství umělecké fotografie rovnocenně hýčkat starý šerosvit i mladou barvu.

Vraťme se pro osvěžení do pohnuté historie fotografie jako umění. Nejvýznamnější a přitom nejpilnější zpodobitel Paříže Eugène Atget (1856-1927) jako by znehodnotil utajovanou touhu fotografie po barvě, o níž snili všichni jeho předchůdci i současníci. Zázračnou přitažlivostí svých fotografií obrátil všecko naruby. Proto se nemůžeme ubránit šálivému dojmu, že barevná fotografie ho předcházela. Z tohoto hlediska se stala černobílá fotografie zásluhou Atgeta – a o trochu později – i Sudka absolutně svébytným uměleckým projevem, jako je ve výtvarném umění třeba grafika. Opusťme však tuto vymyšlenou historii, kterou jsme technickou stránku vývoje převrátili vzhůru nohama.

Pokusme se právě teď, v létě tohoto roku, svléknout Prahu z nádherného seifertovského oděvu (Jaroslav Seifert, Praha světlem oděná), zastavit geniální nezvalovský déšť (Vítězslav Nezval, Praha s prsty deště) a vzdejme hold všem fotografům, kteří Prahu svými kamerami prohledali a prohledávají. Jde o poměrně dosti dlouhý demonstrační průvod znamenitých jmen… a Josef Sudek (1896-1976) je stále před námi.

Jiří Šourek, jak dokládají fotografie v této knize, inspirativně věděl, čemu se vyhnout. Jak nahoře (sentimentální historismus), tak dole (trivialita každodennosti). Vyhledával své oblíbené pohledy, hluboko ukrývané v samotném srdci Prahy, a to, že se tyto fotografie staly tak výraznými magickými zprávami o městě, je jen příznačný následek emocionálního nebloudění. Zaujatě výběrové ohledání města povýšil do polohy, kdy Praha bez lidí sní sama o sobě.

Sám pro sebe pak, nanejvýš udiven atmosférickou převahou ranního rozbřesku pod šedivou oblohou a po trochu blouznivém nálezu několika kaluží a mokrých dláždění – to vše zarámováno po sudkovsku černými rámečky – jsem si pojmenoval tento jinaký soubor „Praha deštěm omytá". Najednou, zásluhou fotografa, je všechno, co o Praze jen tušíme, jiné. Praha stále uniká běžnému stereotypu světových velkoměst.

Vůbec bych se nedivil tomu, kdyby mě na zpodobených místech, kam bych rád rovnou vystoupil z této knížky, provázel fantom nahé ženy – absolutní symbol poezie. Možná, že by šlo o mámivou ženu, která utekla z neskutečně přízračného obrazu Spící město (1938) belgického surrealisty Paula Delvauxe. Snad odtud i Nahá Praha.

I to se může přesnadno jako ozvěna fotografovy inspirace stát. Vše, co nám připomíná zážitky zázračného vidění, nikdy už nezapomeneme, a jejich otisky zůstanou navždy v prachu našeho času.

Nakonec už jen zbývá: vrátit se do budoucnosti (!) černobílé fotografie. Zvláště oné, jež zobrazila a ještě bohdá zobrazí „Prahu jako hlavní město magie" (André Breton). Skutečná velikost čehokoli se odvozuje právě jen od takovýchto výroků. Nikdy jinak.

RAIN – WASHED PRAGUE

in praise of
black-and-white
photography

It is immensely daring to step out, even enough with well-prepared creative intentions, into the streets of this bewitching city. For the restless emotional ground plan of Prague has been looked after long before us by its unique history, and in its stormy stream, in the very midst of its eternal beauty and all its secrets, immortal poets, painters… and photographers have recorded it. Nor, of course, must we forget the more numerous "chance visitors" who, according to the most attractive tradition, fall in love with it at first sight.

At a time when books and postcards are flooded with false colours of the advertising world, real photographers cannot but remember the black-and-white miracles of their predecessors, who in any case still maintain their unshakable position in the true history of photography.

I am convinced that this was just what led Jiří Šourek, author of exceptional books on Prague, to take the turning to black-and-white. Although there is no doubt that his Pragensia "Prague – Photographic Variations" and "Prague - A Pictorial Guide to the Historic City" convinced us with final validity, through their original expressivity, that colour photography holds no surprises for him. So the way "back" to the black-and-white picture is no nostalgia that has been bequeathed to us all as a splendid curse by Josef Sudek, or in other spheres of the unending experience of Prague, by Franz Kafka or Jaroslav Hašek.

Jiří Šourek, gazing through his camera into the poetry of the Prague theme, is a sufficiently experienced and well-taught author. He knows very well that black-and-white photography can never completely disappear from the world. For all ages the realm of art photography will pamper equally the old chiaroscuro and the youthful colour.

Let us refresh our memories by retuning to the turbulent history of photography as an art. The most significant, ant at the same time the most hard-working portrayer of Paris, Eugène Atget (1856-1927), seems to have devaluated the secret longing of photographers in colour, which all his predecessors and his contemporaries dreamt of. The miraculous attractiveness of his photographs turned everything topsy-turvy. That is why we cannot resist the deceptive impression that colour photography preceded him. From this aspect black-and-white photography became, thanks to Atget, and a little later to Sudek, a quite independent means of artistic expression, like, for instance, the technical side of development upside down.

Let us try, just in this summer, to divest Prague of her splendid Seifert-made garment (Jaroslav Seifert, Prague Clothed in Light), to stop Nezval's rain of genius (Vítězslav Nezval, Prague With Fingers of Rain), and let us tribute to all photographers who have searched through Prague with their cameras, and still are doing so. They form quite a long demonstrative procession of outstanding names… and Josef Sudek (1896-1976) is still ahead of us.

Jiří Šourek, as if inspired, knew – as is proved by the photographs in this book – what to avoid: both upwards (sentimental historicism) and downwards (everyday trivialities). He sought our his favourite views, hidden deep in the very heart of Prague, and the fact that these photographs have become such expressive, magical reports on the city, is only a typical result of his not getting emotionally lost. Through enthusiastic selective search he has raised the town to a position where Prague, rid of its people, dreams of itself.

But as for myself, vastly astonished at the atmospheric superiority of daybreak under grey clouds, and after the rather dreamy finds of some puddles and wet cobblestones – all of it framed in Sudek's way with black frames – I have called this singular collection "Rain-Washed Prague". Suddenly, thanks to the photographer, everything that we only surmise about Prague is otherwise. Prague constantly escapes the usual stereotype of world big cities.

I shouldn't be in the least surprised if, at the places shown, where I should like to step out of the book, I was accompanied by the phantom of a naked woman – the absolute symbol of poetry. Perhaps it would be an illusory woman, escaped from the fantastically eerie picture The Sleeping City (1938) by the Belgian surrealist Paul Delvaux. Perhaps from here too "Naked Prague".

Even that can happen very easily as an echo of the photographer's inspiration. Everything that reminds us of the experience of miraculous vision is for ever remembered, and the traces of it remain always in the dust of our time.

In the end all that remains is to return to the future (!) of black-and-white photography. Especially that pictures and, God grant, will picture "Prague as the Capital City of Magic" (André Breton). The true greatness of anything is deduced just only from such utterances. Never otherwise.

PRAG VOM REGEN GEWASCHEN
lob der schwarzweißen Fotografie

Es ist ungemein bedenklich, sich in die Straßen dieser bezaubernden Stadt zu begeben, wenn auch mit wohl vorbereiteten künstlerischen Vorhaben. Für den unruhig emotionellen Grundriss Prags sorgten nämlich längst vor uns einzigartige Geschichte selbst, und in ihrem stürmischen Fluss direkt aus dem Inneren der ewigen Schönheit und aller ihrer Geheimnisse unsterbliche Dichter, bildende Künstler... und Fotografen. Und wir dürfen natürlich die immer zahlreichen „Zufallsbesucher" nicht vergessen, die sich nach der anziehungsvollsten Tradition der Liebe auf den ersten Blick verlieben.

In der Zeit, wo Bücher und Ansichtskarten mit fast reklamehaft falschen Farben überflutet sind, können die wirklichen Fotografen die schwarzweißen Wunder ihrer Vorgänger nicht übergehen, die sich ohnehin ständig ihre unerschütterliche Stellung in der wahrhaftigen Geschichte der Fotografie bewahren.

Ich bin überzeugt, dass gerade dies Jiří Šourek, den Autor außerordentlicher Bücher über Prag, zu dem schwarzweißen Seitensprung führte. Dabei ist nicht zu bezweifeln, dass seine Pragensia, „Prag. Fotografische Variationen" oder „Prag. Bildführer durch die historische Stadt", uns durch ihre urwüchsige Expressivität endgültig davon überzeugten, dass die Farbfotografie für ihn keine Überraschung mehr verbirgt. Der Weg „zurück" zum schwarzweißen Bild ist also keineswegs nur die Nostalgie, die uns allen wie eine herrliche Verdammnis von Josef Sudek, sowie auf anderen Gebieten des unendlichen Erlebens Prags von Franz Kafka oder Jaroslav Hašek hinterlassen würde.

Jiří Šourek, fotografisch in die Poesie des Themas Prag vertieft, ist ein genügend belehrter und erfahrener Autor. Er weiß sehr wohl, dass die schwarzweiße Fotografie nie vollkommen aus der Welt verschwinden kann. Für immer wird das Gebiet der künstlerischen Fotografie gleichwertig das alte Helldunkel sowie die junge Farbe beschützen.

Wenden wir uns zur Auffrischung der bewegten Geschichte der Fotografie als Kunst zu. Der bedeutendste und dabei fleißigste Darsteller von Paris, Eugen Atget (1856-1927), entwertete fast die heimliche Sehnsucht der Fotografie nach der Farbe, von der alle seine Vorgänger und Zeitgenossen geträumt hatten. Durch die wundervolle Anziehungskraft seiner Fotografien verkehrte er alles in das Gegenteil. Darum können wir uns des täuschenden Eindrucks nicht erwehren, dass ihm die Farbfotografie vorausging. Von diesem Gesichtspunkt aus wurde die schwarzweiße Fotografie durch das Verdienst von

Atget, und etwas später auch von Sudek, zu einer absolut selbständigen Äußerung, wie dies in der bildenden Kunst etwa die Grafik ist. Verlassen wir jedoch diese erfundene Geschichte, mit der wir die technische Seite der Entwicklung in ihr Gegenteil verkehrten.

Versuchen wir eben jetzt, im Sommer dieses Jahres, Prag seines herrlichen seifertschen Gewandes zu entkleiden (Jaroslav Seifert, Prag in Licht gekleidet), den genialen nezvalschen Regen anzuhalten (Vitězslav Nezval, Prag mit den Fingern des Regens), und huldigen wir allen Fotografen, die Prag mit ihren Kameras durchsuchten und durchsuchen. Es geht um einen verhältnismäßig langen Zug von ausgezeichneten Namen... und Josef Sudek (1896-1976) ist uns immer voran.

Jiří Šourek wusste inspirativ, wie es die Fotografien in diesem Buch bezeugen, was er meiden sollte. Wie oben (sentimentaler Historismus) als auch unten (Trivialität der Alltäglichkeit). Er suchte seine beliebten, tief im eigentlichen Herzen Prags verborgenen Anblicke aus, und der Umstand, dass diese Fotografien zu ausdrucksvollen, magischen Berichten über die Stadt wurden, ist nur die charakteristische Folge des emotionalen Sichergehens. Das interessierte Betasten der Stadt erhob er in die Lage, wo Prag ohne die Menschen über sich selbst träumt.

Für mich selber alsdann, höchst erstaunt über das atmosphärische Übergewicht des Morgengrauens unter dem grauen Himmel und nach dem etwas spukhaften Befund einiger Pfützen und nassen Pflasters, dies aller eingerahmt in den sudekschen schwarzen Rahmen, benannte ich diesen andersartigen Komplex „Prag vom Regen gewaschen". Plötzlich, dank dem Fotografen, ist alles, was wir von Prag nur ahnen, anders. Prag entweicht ständig dem üblichen Stereotyp der Großstädte der Welt.

Es würde mich überhaupt nicht verwundern, wenn mich an den dargestellten Orten, welche ich gleich aus diesem Buch betreten möchte, das Phantom einer nackten Frau – absolutes Symbol der Poesie – begleiten sollte. Es könnte wohl die berückende Frau sein, entwichen aus dem unwirklich phantastischen Bild Die schlafende Stadt (1938) des belgischen Surrealisten Paul Delvaux. Daher vielleicht auch „Nacktes Prag".

Auch dies kann sehr leicht als Widerhall der Inspiration des Fotografen geschehen. Alles, was uns an die Erlebnisse des wunderschönen Sehens erinnert, vergessen wir nie mehr, und dessen Abdrücke bleiben für immer im Staub unserer Zeit erhalten.

Zum Schluss bleibt nur: in die Zukunft (!) der schwarzweißen Fotografie zurückzukehren. Besonders jener, die „Prag, als Hauptstadt der Magie" (André Breton) darstellte und Gott weiß noch darstellen wird. Wirkliche Größe wird gerade von solchen Ausdrücken abgeleitet. Nie ist das anders.

PRAGUE ARROSÉE PAR LA PLUIE
hommage à la photo en noir et blanc

Pour se plonger dans les rues de cette ville ravissante il faut de l'audace, même si on le fait de propos délibéré en imaginant nettement le résultat que l'on veut obtenir. Il y eut, bien avant nous, des poètes, peintres, sculpteurs et aussi … des photographes qui, des siècles durant, chantaient ce site, son histoire glorieuse et parfois tourmentée, et qui contribuèrent aussi à la formation de son visage gracieux et mystérieux à la fois, émanant de sa beauté intérieure. Naturellement, il ne faut non plus oublier tous les visiteurs „occasionnels" affluant de plus en plus nombreux, enchantés à première vue déjà par cette ville merveilleuse.

A présent, en voyant tous ces livres et cartes postales étaler leurs couleurs vives et fallacieuses, telles les images d'Epinal des affiches publicitaires, de vrais photographes ne peuvent ne pas songer aux prises merveilleuses en noir et blanc de leurs prédécesseurs qui continuent à occuper une place importante dans l'histoire de la photographie.

Je suis persuadé que la même réflexion amena Jiří Šourek, auteur de plusieurs livres extraordinaires sur Prague, à faire ce détour vers le noir et blanc. Il n'y a pas de doute pourtant que ses pragensia „Prague. Variations photographiques" ou bien „Prague. Guide photographique de la ville historique" nous ont convaincus, par leur expressivité originale, que tous les secrets de l'art de la photographie en couleurs lui sont familiers. Ce „pas en arrière" vers la photographie en noir et blanc n'est donc aucunement empreint seulement de la nostalgie de l'oeuvre du grand photographe tchèque Josef Sudek (1896-1976), un vrai maître de l'art de la photographie, qui suscite en nous une profonde admiration, comme par exemple, dans un autre domaine de l'art, la fascination de Prague présente dans les oeuvres de Franz Kafka ou de Jaroslav Hašek.

Jiří Šourek, ce photographe pris par la poésie du thème pragois, est un auteur expérimenté et instruit. Il sait bien que la photographie en noir et blanc ne disparaîtra jamais, qu'elle continuera à exister et que les images artistiques clair-obscur du passé et celles en couleurs datant des temps postérieurs vont toujours aller de pair, sur le même rang.

Mais revenons à l'histoire de l'art de la photographie. Eugène Atget (1856-1927), artiste sensible et appliqué, appartenant aux plus importants photographes ayant jamais reflété le visage et l'âme de Paris, semble avoir dévalué l'aspiration aux images en couleurs, dont ses prédécesseurs et contemporains avaient rêvé. Ses prises attrayantes bouleversèrent totalement le domaine de la photographie d'art. On croirait presque que la photographie en couleurs avait précédé ses oeuvres. Atget a un grand mérite de la photo en noir et blanc - tout comme un peu plus tard notre Josef Sudek - avec son expression artistique tout à fait originale, comparable dans le domaine des arts plastiques par exemple à l'art de la gravure. Mais abandonnons cette fantaisie sans fondement qui pourrait donner une fausse image de l'évolution technique.

Essayons maintenant, en cet été, de dépouiller Prague de l'habit merveilleux que lui avait tissé le poète Jaroslav Seifert (Prague vêtue de lumière), essayons d'arrêter la pluie géniale dont la voyait arrosée un autre poète tchèque: Vítězslav Nezval (Prague aux doigts de pluie), et rendons hommage à tous les photographes qui fouillaient et fouillent avec leurs caméras dans les rues et coins pittoresques de Prague. Ce défilé de noms célèbres est bien long et Josef Sudek (1896-1976) continue à y occuper toujours la première place.

Jiří Šourek, comme en témoignent les photos dans ce livre, tâche d'éviter, en connaissance de cause, deux extrêmes: l'historicité sentimentale, de même que les trivialités ordinaires de tous les jours. Etant toujours à la recherche de vues inhabituelles et charmeuses, cachées dans les profondeurs du coeur de Prague, il présente ses photos comme l'énonciation de la vie d'une ville magique, énonciation émotionnelle qui n'est pas le fruit d'une errance improvisée. Il sait bien faire son choix à un niveau où Prague – en l'absence des gens dont elle est normalement peuplée – rêve de soi-même.

Quant à moi-même, pris par cette atmosphère saisissante de l'aube sous un ciel gris, au milieu de petites flaques couvrant les pavés mouillés, j'observe ces images entourées de petits cadres noirs rappelant ceux de Josef Sudek. J'ai dénommé ce cycle extraordinaire «Prague arrosée par la pluie». Et voilà que l'âme de Prague, que nous pensons avoir saisie, nous apparaît, vue par le photographe, sous un aspect nouveau. On ne peut ne pas appliquer à Prague des imaginations stéréotypées propres aux métropoles mondiales.

Je ne serais pas étonné si, en me retrouvant soudainement sur les lieux présentés dans ce livre, je me voyait accompagné d'un fantôme à l'aspect d'une belle femme nue – ce symbole absolu de la poésie. Serait ce peut-être une charmeuse échappée du tableau à l'atmospère irréelle du peintre surréaliste belge Paul Delvaux représentant la Ville endormie (1938). L'affinité entre cette ville et Prague nue est possible.

C'est ce qui peut bien se produire comme l'écho de l'inspiration d'un photographe. Car nous n'oublierons jamais rien des vues magiques qui nous inspirent, leurs traces sur le chemin de notre vie resteront empreintes pour toujours dans la poussière.

Et maintenant, il ne nous reste qu'à réfléchir sur l'avenir (!) de la photographie en noir et blanc. De celle notamment qui imagine et continuera à imaginer Prague comme «capitale de la magie» (André Breton). Car la vraie grandeur de n'importe quel sujet puise dans de telles impressions. Telle est la réalité.

Ci vuole del coraggio per immergersi nelle vie di questa città meravigliosa, anche se animati da un proposito creativo chiaro e preciso, avendo però ben riflettuto sull'obiettivo finale. Quanti poeti, pittori, scultori e, recentemente, anche ... fotografi hanno decantato nel corso dei secoli e continuano a decantare il fascino di Praga, la sua storia gloriosa e tormentata, contribuendo così alla formazione del suo dolce aspetto che riflette la sua bellezza interiore. Non bisogna dimenticare nemmeno i passanti «occasionali» che vi affluiscono sempre più numerosi da tutti i paesi del mondo e che subito, a prima vista, si sentono affascinati da questa città magica.

Attualmente, quando vediamo tutti questi libri e cartoline dai colori vivaci e risplendenti, a volte quasi accecanti , come quelli dei manifesti pubblicitari di cattivo gusto, i veri fotografi d'arte non possono non ricordarsi delle bellissime immagini in bianco e nero dei loro predecessori che continuano ad occupare sempre un posto importante nella storia della fotografia

Sono convinto che una simile riflessione ha indotto Jiří Šourek, autore di tanti bei libri su Praga, a scegliere questa volta una via diversa – quella della fotografia in bianco e nero. Eppure non c'è dubbio che i suoi libri su Praga («Praga. Variazioni fotografiche» oppure «Praga. Guida illustrata della città storica») ci convincono dell'espressività originale della sua arte, in quanto mostra che l'artista ha dominato alla perfezione tutti i segreti della fotografia a colori. Questo «passo indietro» verso la fotografia in bianco e nero non riflette quindi solo la nostalgia per l'opera del grande fotografo ceco Josef Sudek – un vero maestro dell'arte della fotografia che c'impressiona e sveglia in noi le stesse sensazioni che suscitano per esempio nel campo letterario le opere di Franz Kafka o Jaroslav Hašek, anche loro affascinati dall'animo di Praga che hanno voluto riflettere nei loro libri.

Jiří Šourek, incantato dalla poesia del tema praghese, è un fotografo istruito ed esperto. Sa bene che la fotografia in bianco e nero non sparirà mai, anzi continuerà ad esistere, e che le immagini artistiche chiaroscurali del passato e quelle a colori dei tempi posteriori continueranno ad esistere allo stesso livello, come oggetti di pari interesse del pubblico.

Torniamo però alla storia dell'arte della fotografia. Sembra che Eugène Atget (1856-1927), artista di una sensibilità e diligenza particolari, facente parte del gruppo dei più importanti fotografi che si fissarono come obiettivo quello di riflettere il volto e l'anima di Parigi, abbia privato del loro valore le immagini a colori che per lungo tempo furono al centro dell'interesse dei suoi contemporanei come una meta lontana. Le sue immagini meravigliose hanno significato una rivoluzione nell'arte della fotografia. A vederle, qualcuno potrebbe pensare persino che lo sviluppo della fotografia sia andato in senso inverso e che queste sue magnifiche opere in bianco e nero sono posteriori alle fotografie a colori. Atget ha un gran merito nel campo della fotografia in bianco e nero, come più tardi anche il Ceco Josef Sudek con la sua espressione artistica del tutto originale, comparabile nella sfera delle arti plastiche all'arte dell'incisione per esempio. (Tutte queste non sono certo che fantasie senza fondamento alcun, perciò smettiamola per non introdurre idee totalmente false intorno all'evoluzione tecnica.)

Cerchiamo ora, in questa estate, di privare Praga del suo manto meraviglioso con cui l'aveva vestita il poeta Jaroslav Seifert (Praga vestita di luce), cerchiamo pure di fermare la pioggia geniale sotto la quale l'immaginava un altro poeta ceco Vítězslav Nezval (Praga con le dita di pioggia) e rendiamo omaggio a tutti i fotografi che passeggiano per le vie e per gli angoli pittoreschi di Praga a caccia di riprese sraordinarie. La lista di nomi celebri in questo campo sarebbe veramente molto lunga ... e Josef Sudek (1896-1976) vi continua ad occupare sempre la posizione principale.

Jiří Šourek, come ne testimoniano le foto in questo libro, cerca di evitare con conoscenza di cose due estremi: lo storicismo sentimentale, come anche la ordinaria trivialità quotidiana.

Continuamente alla ricerca di vedute inabituali ed incantevoli, celate nelle profondità del cuore di Praga, Šourek presenta le sue foto come la narrazione della vita di una città magica, un'enunciazione emozionante che non è il frutto di un vagabondare improvvisato. È ben cosciente delle sue scelte quando Praga spopolata con le vie deserte sogna di sè stessa.

Quanto a me poi, m'incanta particolarmente quest'atmosfera ammaliante dell'alba sotto un cielo grigio con vie bagnate o coperte da pozzanghere e mi piace osservare le belle vedute espressive inquadrate in sottili cornici nere (come quelle di Josef Sudek). A questo ciclo di fotografie straordinarie ho dato il titolo di «Praga sotto la pioggia». Ed ecco che l'anima di Praga, della quale pensiamo di esserci impossessati, vista con gli occhi di un fotografo ci appare sotto un aspetto nuovo. A Praga non si possono applicare immaginazioni stereotipate come potrebbe farsi con qualsiasi altra metropoli del mondo.

Non mi meraviglierei se – trovandomi all'improvviso nei luoghi presentati in questo libro – avessi accanto uno spirito avente l'aspetto di una bella donna nuda – simbolo assoluto della poesia, un'ammaliatrice scesa da un quadro dall'atmosfera irreale del pittore surrealista belga Paul Delvaux rappresentante la Città addormentata (1938). C'è forse dell'affinità tra questa città e Praga nuda...

Un tale fenomeno può scaturire come l'eco dell'ispirazione di un fotografo. Non si dimenticano mai le vedute magiche che ci hanno ispirati, le loro tracce rimangono impresse per sempre nella polvere del cammin di nostra vita.

E ora non ci rimane che riflettere sull'avvenire (!) della fotografia in bianco e nero. Quella che riflette e continuerà a riflettere Praga come «capitale della magia» (André Breton). Perchè la vera grandezza di qualsiasi soggetto viene alimentata di tali impressioni. Questa è la realtà.

PRAGA BAÑADA POR LA LLUVIA

homenaje
a la fotografía
en blanco y negro

Hay que ser valiente para adentrarse en las calles de esta ciudad encantadora aún teniendo un propósito artístico claro. Mucho antes de que llegáramos nosotros, y durante centurias, fueron generaciones de poetas, pintores, escultores y ... fotógrafos quienes acuñaron la agitada y única historia de Praga, las tormentosas corrientes de su eterna belleza y sus misterios. Naturalmente, no debemos olvidar a los cada vez más numerosos "visitantes ocasionales" los cuales siguiendo los tradicionales cánones del amor, a primera vista se enamoran de la ciudad.

En tiempos en que los libros y las tarjetas postales se ahogan en falsos colores publicitarios, los auténticos fotógrafos recuerdan los milagros en blanco y negro de sus predecesores, que contra viento y marea, siguen manteniendo sus inquebrantables posiciones en la verdadera historia de la fotografía.

Estoy seguro de que precisamente esta idea animó a Jiří Šourek, autor de extraordinarias publicaciones sobre Praga, a emprender un rumbo distinto en blanco y negro. Y sin embargo, no cabe duda de que sus libros, *Praga, variaciones fotográficas* y *Praga, guía en imágenes de la ciudad histórica*, nos han convencido de que la fotografía en colores no guarda misterio alguno para este artista. Esa vuelta "atrás", hacia la imagen en blanco y negro, no reviste la nostálgica añoranza que nos dejó, como si de una maravillosa maldición se tratara, Josef Sudek (1896-1976), el insigne fotógrafo checo, o en otros ámbitos de las artes, la fascinación por Praga que reflejaron en sus obras los escritores Franz Kafka y Jaroslav Hašek.

Jiří Šourek, fotógrafo con la mirada clavada en la poética ciudad de Praga, es un autor erudito de gran experiencia. Él sabe muy bien que la fotografía en blanco y negro jamás desaparecerá, y que en el "coto privado de la fotografía artística" se la seguirá mimando, al igual que a los claro-oscuros del pasado, y como a los colores juveniles del presente.

Para refrescar la memoria echemos un vistazo a la agitada historia de la fotografía artística. Uno de los artistas más sensibles y prolíficos que reflejaron la cara y el alma de París fue Eugène Atget (1856-1927) que aparentemente logró restar valor a la imagen en colores con la que soñaban todos sus predecesores y sus coetáneos. La magia de sus tomas trastocó por completo el arte de la fotografía. Incluso caeríamos en la tentación de pensar que la fotografía en colores fue precursora de sus obras. Atget tiene el mérito de la fotografía en blanco y negro y también lo tuvo un poco más tarde el checo Josef Sudek con su original expresión artística que puede compararse con las artes gráficas. Sin embargo, dejemos de lado esta historia inventada que desviaría el curso de la evolución técnica.

Intentemos ahora mismo, en este verano, desnudar a Praga despojándola del suntuoso traje que tejió el poeta Jaroslav Seifert en su obra *Praga vestida de luces*; intentemos detener la lluvia genial de otro poeta checo Vítězslav Nezval en su obra *Praga con los dedos de lluvia* y rindamos homenaje a todos los fotógrafos que con sus cámaras buscan y escudriñan hasta el último rincón de la capital. Sería una larga lista de nombres célebres…, un desfile que sigue encabezando, muy por delante, Josef Sudek.

Jiří Šourek, como lo testimonian las fotografías de este libro, intenta evitar dos extremos: el historicismo sentimental y las trivialidades del día al día. Ha ido descubriendo vistas extraordinarias, sus favoritas, las que están ocultas en lo más profundo del corazón de Praga, ofreciéndolas como un testimonio expresivo y mágico sobre la ciudad, una enunciación emocional que no es el fruto de un deambular improvisado. Él sabe seleccionar cuidadosamente el momento en que la ciudad está ensimismada, soñadora y sin gentes.

En cuanto a mí, estoy sorprendido y atrapado en el ambiente del amanecer bajo un cielo gris, en medio de pequeños charcos que cubren el adoquinado húmedo, observando esas imágenes enmarcadas en estrechos cuadros negros que recuerdan el estilo de Sudek. Se me ocurre titular este conjunto extraordinario *Praga bañada por la lluvia*. De hecho, gracias al fotógrafo descubrimos nuevos aspectos, algo que sólo intuimos, algo distinto. Praga continúa saliéndose de las ideas estereotipadas de las grandes urbes del mundo.

No me sorprendería, si en los lugares representados, a los que quisiera acceder directamente desde este libro, me acompañara el fantasma de una mujer desnuda, símbolo absoluto de la poesía. Podría ser una de esas mujeres encantadoras, que se escapó de ese cuadro de ambiente irreal, titulado *La ciudad dormida* (1938), obra de Paul Delvaux, pintor surrealista belga. De ahí quizás la idea de Praga desnuda. Podría suceder como un eco de inspiración del fotógrafo. Nunca olvidamos lo que nos recuerda la emoción de observar una vista maravillosa, es más, su huella queda impresa para siempre en el polvo de la memoria.

Para terminar no queda sino pensar en el futuro de la fotografía en blanco y negro, especialmente aquella que ha reflejado y que seguirá reflejando a Praga, capital de la magia (André Breton). La auténtica grandeza de cualquier tema se deriva de declaraciones como la anterior. Así sea para siempre.

Разве можно ходить по улицам этого потрясающего города иначе, чем с уважением и в творческом волнении? Беспокойные, эмоциональные силуэты Праги были созданы задолго до нас бурным течением её уникальной истории - и теми, кто видел город изнутри его вечной, таинственной красоты: бессмертными поэтами, художниками и… фотографами.

Разумеется, невозможно забыть и о том, что гости Праги – а их становится всё больше и больше - влюбляются в неё, повинуясь властной традиции любви, с первого взгляда.

Сегодня, когда книги и открытки полны лживыми рекламными красками, настоящие фотографы не могут не вспомнить о черно-белом колдовстве своих предшественников, чьё место в истории фотографии остаётся неоспоримым и сегодня.

Я уверен: именно это побудило Иржи Шоурека, автора нескольких замечательных книг о Праге, показать город чёрно-белым. Да, конечно, неповторимая выразительность его пражских альбомов - «Прага. Фотографические вариации» и «Прага. Фотопутеводитель по исторической части города» - окончательно убедила нас в том, что в цветной фотографии для него нет уже никаких тайн. Путь «назад», к черно-белому изображению – в таком случае, отнюдь не только ностальгия, которую - прекрасное проклятие! – завещали нам замечательный фотомастер Йозеф Судек, Франц Кафка или Ярослав Гашек – у которых было собственное бесконечное чувство Праги.

Иржи Шоурек - фотограф, завороженный поэзией Праги - автор достаточно искушенный. Он хорошо знает: черно-белая фотография никогда не сможет исчезнуть вполне. Фотоискусство всегда будет одинаково чутким и к старой чёрно-белой светописи, и к юному цвету.

Освежим в памяти исторический путь, пройденный фотографическим искусством. Самый знаменитый, самый усердный творец образов Парижа, гениальный мастер европейской жанровой фотографии Эжен Атже (1856–1927) словно избавил фотографию от тайной тоски по цвету, о котором мечтали все его предшественники и современники. Чудесная притягательность его фотографий перевернула всё – и мы не в силах сопротивляться странному чувству, будто цветная фотография существовала уже до него. Потому-то – благодаря Атже, а чуть позже и Судеку - чёрно-белая фотография стала совершенно самобытным жанром, таким же, например, как для художников - графика. Но отвлечёмся от этой вымышленной истории, в которой мы поставили техническую сторону развития фотоискусства с ног на голову.

Попробуем именно сейчас, этим летом, увидеть Прагу без прекрасных одежд, надетых на неё некогда Ярославом Сейфертом («Прага, одетая светом»), остановить гениальный незваловский дождь (Витезслав Незвал, «Прага с пальцами дождя») и восславим всех фотографов, чьи объективы когда бы то ни было разглядывали город и разглядывают его по сей день.

Перед нами разворачивается длинный ряд знаменитых имён, во главе которого – Йозеф Судек (1896–1976).

Иржи Шоурек – свидетельство тому вошедшие в книгу фотографии - интуитивно чувствовал, чего надо избегать: как «сверху» - сентиментального историзма, так и «снизу» - повседневных банальностей. Он выискивал свои любимые виды, скрытые глубоко в самом сердце Праги, и то, что эти фотографии оказались столь магически-выразительным рассказом о городе – всего лишь естественное следствие присущей ему эмоциональной точности. Под его пристрастным, прихотливым взглядом Прага будто бы сама, без участия человека, грезит о себе.

Я же, изумлённый силой рассвета под хмурым небом, скользящим светом луж, влажным булыжником мостовых – и всё это в характерных судековских чёрных рамочках – назвал бы этот альбом «Прага, омытая дождём»

Вдруг – благодаря фотографу – оказывается: Прага – совсем не то, что нам привычно думать о ней. Она то и дело отказывается вписываться в расхожий, стереотипный образ мегаполиса.

Я бы ничуть не удивился, если бы моим проводником по изображённым в книге пространствам – куда я с радостью шагнул бы с этих страниц – оказался призрак обнажённой женщины – абсолютный символ поэзии. Не та ли это обворожительная женщина, что ускользнула с нереально-призрачного полотна «Спящий город» (1938) бельгийского сюрреалиста Поля Дельво?

Не оттуда ли - и Нагая Прага? Вдохновению фотографа, кажется, подвластно и это. Всё, что напоминает нам однажды пережитые чудесные видения, уже никогда нас не покинет – их следы впечатались в пыль нашего времени навеки.

Теперь нам остаётся лишь вернуться в будущее (!) черно-белой фотографии. Особенно – той, что сохранила для нас образы «Праги как столицы магии» (Андре Бретон) и, Бог даст, будет сохранять их и дальше. Истинное величие чего бы то ни было видно лишь в свете таких высказываний. Только так.

Dvořákovo nábřeží
The Dvořák embankment
Dvořák-Kai
Quai Dvořák
Lungofiume Dvořák
El muelle de Dvořák
Набережная Дворжака

17

Plastiky Viktorie na Čechově mostě
The figure of „Victoria" on the Čech Bridge
Die Viktoria-Figuren auf der Čech-Brücke
Pont Svatopluk Čech: Les statues de la Victoire
Ponte Svatopluk Čech: Le statue della Vittoria
Esculturas de la Victoria en el puente de Čech
Скульптуры «Виктории» на Чеховом мосту

Čechův most
The Čech Bridge
Čech-Brücke
Pont Svatopluk Čech
Ponte Svatopluk Čech
El puente de Čech
Чехов мост

Pražský hrad z Alšova nábřeží
Prague Castle from the Aleš embankment
Die Prager Burg vom Aleš-Kai aus
Le Château de Prague vu du Quai Aleš
Il Castello di Praga visto dal Lungofiume Aleš
El Castillo de Praga visto desde el muelle de Aleš
Пражский Град – вид с набережной Алеша

Pohled na Karlův most z Malostranského nábřeží
View of Charles Bridge from Lesser Town
Blick auf die Karlsbrücke vom Kleinseitner Ufer
Vue du Pont Charles du Quai Malostranské
Vista del Ponte Carlo dal Lungofiume Malostranské
Vista del puente de Carlos desde el muelle de Malá Strana
Карлов мост – вид с набережной на Малой Стороне

Mánesův most
The Mánes Bridge
Mánes-Brücke
Pont Josef Mánes
Ponte Josef Mánes
El puente de Mánes
Мост Манеса

Detail plastiky na Mánesově mostě
Detail of a sculpture of the Mánes-Bridge
Detail einer Figur auf der Mánes-Brücke
Les statues du Pont Mánes
Le sculture del Ponte Josef Mánes
Detalle de escultura en el puente de Mánes
Детали скульптур на мосту Манеса

Plastika světlonoše na Čechově mostě
Sculpture of light-bearer on the Čech Bridge
Lichtträger-Figur von der Čech-Brücke
Le réverbère du Pont Svatopluk Čech
Il lucifero del Ponte Svatopluk Čech
Escultura de un heraldo con antorcha en el puente de Čech
Скульптуры светоносцев на Чеховом мосту

24

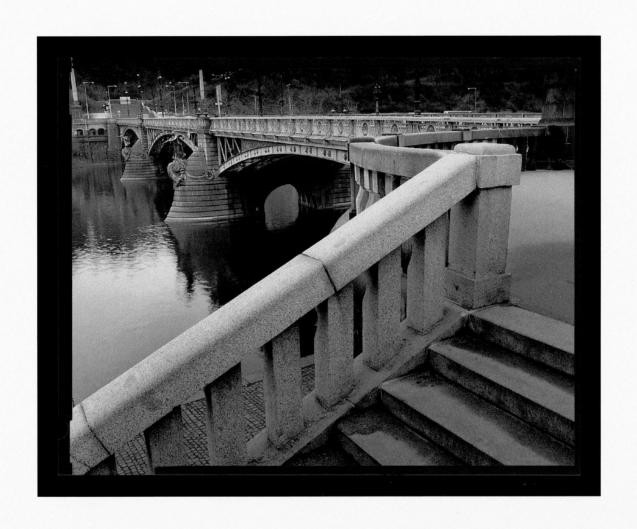

Most Svatopluka Čecha
The Svatopluk Čech Bridge
Svatopluk-Čech-Brücke
Pont Svatopluk Čech
Ponte Svatopluk Čech
El puente de Svatopluk Čech
Мост Святоплука Чеха

Malostranské střechy
Roofs of Lesser Town
Kleinseitner Dächer
Les toits de Malá Strana
I tetti di Malá Strana
Los tejados de Malá Strana
Малостранские крыши

Pohled z Jižních zahrad Pražského hradu na kostel sv. Mikuláše na Malé Straně
View of St. Nicholas in Lesser Town from the Southern Gardens of Prague Castle
Blick von den Südgärten der Prager Burg auf die Niklaskirche auf der Kleinseite
L'église Saint-Nicolas à Malá Strana vue des jardins meridionaux du Château de Prague
Chiesa di San Niccolò a Malá Strana vista dai giardini meridionali del Castello di Praga
Vista de la iglesia de San Nicolás en Malá Strana desde los jardines Sur del Castillo de Praga
Вид с Южных садов Пражского Града на костел св. Микулаша на Малой Стороне

Severní strana Pražského hradu s katedrálou sv. Víta
Northern face of Prague Castle with the cathedral St. Vitus
Nordseite der Prager Burg mit der St. Veits-Kathedrale
Le Château de Prague: Côté septentrional avec la cathédrale Saint-Guy
Castello di Praga: Lato settentrionale con la cattedrale di San Vito
Lado norte del Castillo de Praga con la catedral de San Vito
Северная сторона Пражского Града с кафедральным собором св. Вита

Staré zámecké schody
The Old Castle Steps
Alte Schloßstiege
Le Château de Prague: le Vieil Escalier
Il Castello di Praga: la Gradinata Vecchia
La Vieja Escalinata del Castillo
Старые Замковые лестницы

Malá Strana
Lesser Town
Die Kleinseite
Malá Strana
Malá Strana
Malá Strana
Малая Сторона

Kostel sv. Mikuláše na Malé Straně
The St. Nicholas church in Lesser Town
St. Niklaskirche auf der Kleinseite
L'église St-Nicolas à Malá Strana
La chiesa di s. Niccolò a Malá Strana
La iglesia de San Nicolás en Malá Strana
Храм св. Микулаша на Малой Стороне

Pražský hrad z Chotkových sadů
Prague Castle seen from the Chotek Gardens
Die Prager Burg vom Chotek-Garten aus
Le Château de Prague vu du parc Chotek
Il Castello di Praga visto dal parco Chotek
El Castillo de Praga visto desde el parque de Chotek
Пражский Град – вид из Хотковых садов

Chrám sv. Víta od Královského letohrádku
The cathedral of St. Vitus from the Royal Summer Palace
St. Veitsdom vom Königlichen Lustschloss aus
La cathédrale St-Guy vue du Pavillon de plaisance royal
La cattedrale di s. Vito vista dal Belvedere reale
La catedral de San Vito vista desde el palacete Real
Вид из Летоградка на храм св. Вита

Královský letohrádek se Zpívající fontánou
The Royal Summer Palace with the Singing Fountain
Königliches Lustschloss mit der Singenden Fontäne
Le Pavillon de plaisance royal avec la Fontaine chantante
Il Belvedere reale con la Fontana cantante
El Palacete Real con la fuente Cantarina
Летний Королевский дворец с «Поющим фонтаном»

Královský letohrádek
The Royal Summer Palace
Das Königliche Lustschloss
Le Pavillon de plaisance royal
Il Belvedere reale
El palacete Real
Летний Королевский дворец

35

Královský letohrádek z Chotkových sadů
The Royal Summer Palace from the Chotek orchards
Königliches Lustschloss vom Chotek-Park aus
Le Pavillon de plaisance royal vu du parc Chotek
Il Belvedere reale visto dal parco Chotek
El palacete Real visto desde el parque de Chotek
Летний Королевский дворец – вид из Хотковых садов

Královská zahrada Pražského hradu se Zpívající fontánou
The Royal Gardens of Prague Castle with the Singing Fountain
Der Königliche Garten der Prager Burg mit der Singenden Fontäne
Le Château de Prague: le Jardin royal avec la fontaine chantante
Castello di Praga: il Giardino reale con la fontana cantante
El jardín Real del Castillo de Praga con la fuente Cantarina
Королевский сад Пражского Града с «Поющим фонтаном»

Zpívající fontána
The Singing Fountain
Die Singende Fontäne
La fontaine chantante
La fontana cantante
La fuente Cantarina
«Поющий фонтан»

38

Zpívající fontána
The Singing Fountain
Die Singende Fontäne
La fontaine chantante
La fontana cantante
La fuente Cantarina
«Поющий фонтан»

Chrám sv. Mikuláše na Malé Straně z Rajské zahrady
St. Nicholas of Lesser Town seen from the Paradise Garden
Die Niklaskirche auf der Kleinseite vom Paradiesgarten aus
L'église Saint-Nicolas à Malá Strana vue du Jardin du Paradis
Chiesa di San Niccolò a Malá Strana vista dal Giardino del Paradiso
La iglesia de San Nicolás en Malá Strana desde el jardín del Paraíso
Храм св. Микулаша на Малой Стороне – вид из Райского сада

Chrám sv. Mikuláše ze zahrady Na Valech
St. Nicholas of Lesser Town seen from the Gardens on the Ramparts
Die Niklaskirche vom Wallgarten aus
L'église Saint-Nicolas à Malá Strana vue du Jardin «Na Valech»
Chiesa di San Niccolò a Malá Strana vista dal giardino Na Valech
La iglesia de San Nicolás en Malá Strana desde el jardín de la Muralla
Храм св. Микулаша – вид из сада На Валах

Chrám sv. Mikuláše z Jižních zahrad Pražského hradu
St. Nicholas of Lesser Town seen from the Southern Gardens of Prague Castle
Die Niklaskirche von den Südgärten der Prager Burg aus
L'église Saint-Nicolas à Malá Strana vue des jardins meridionaux du Château de Prague
Chiesa di San Niccolò a Malá Strana vista dai giardini meridionali del Castello di Praga
La iglesia de San Nicolás en Malá Strana desde los jardines del Sur
Храм св. Микулаша – вид из Южных садов Пражского Града

Tereziánské křídlo Pražského hradu
The Theresa Wing of Prague Castle
Der Theresianische Flügel der Prager Burg
L´aile thérésienne du Château de Prague
L´ala teresiana del Castello di Praga
El ala de María Teresa del Castillo de Praga
Терезианское крыло Пражского Града

II. nádvoří Pražského hradu
The second courtyard of Prague Castle
II. Burghof
IIe cour du Château de Prague
Il secondo cortile del Castello di Praga
El segundo patio del Castillo de Praga
II-й двор Пражского Града

III. nádvoří Pražského hradu
The third courtyard of Prague Castle
III. Burghof
IIIᵉ cour du Château de Prague
Il III° cortile del Castello di Praga
El tercer patio del Castillo de Praga
III-й двор Пражского Града

45

Zlatá brána katedrály sv. Víta
The Golden Gate of cathedral St. Vitus
Das Goldene Tor der St. Veitskathedrale
Cathédrale Saint-Guy: la Porte d´or
Cattedrale di San Vito: Porta d´oro
La puerta Dorada de la catedral de San Vito
«Золотые ворота» Кафедрального собора св. Вита на Пражском Граде

Katedrála sv. Víta
The cathedral St. Vitus
Die St. Veitskathedrale
Cathédrale Saint-Guy
Cattedrale di San Vito
La catedral de San Vito
Кафедральный собор св. Вита

Pohled na vstupní bránu Pražského hradu s postavami Gigantů
View of the entrance gate of Prague Castle with the Giants' figures
Blick auf das Einfahrtstor der Prager Burg mit den Giganten-Figuren
Vue de l'entrée principale du Château de Prague avec les statues des Géants
Vista del Portone del Castello di Praga con le statue dei Giganti
Vista de la puerta de entrada al Castillo de Praga con las figuras de los Gigantes
Вид на главный вход Пражского Града со скульптурами «Гигантов»

Plastika Gigantů na vstupní bráně Pražského hradu
Group of Giants at the entrance gate of Prague Castle
Gruppe der Giganten am Einfahrtstor der Prager Burg
Les Géants de l'entrée principale du Château de Prague
I Giganti del Portone del Castelo di Praga
Las esculturas de Gigantes en la puerta de entrada al Castillo de Praga
Скульптуры «Гигантов» у главного входа в Пражский Град

Socha sv. Jiří na III. nádvoří Pražského hradu
Sculpture of St. George in the 3rd Courtyard of Prague Castle
St. Georg am III. Burghof der Prager Burg
La statue de Saint-Georges (IIIᵉ cour du Château de Prague)
La statua di San Giorgio (III° cortile del Castello di Praga)
La estatua de San Jorge en el tercer patio del Castillo de Praga
Статуя св. Иржи на III-м дворе Пражского Града

Hradčanské náměstí
The Hradčanské square
Der Hradschin-Platz
Place Hradčanské
Piazza Hradčanské
La plaza Hradčanské
Градчанская площадь

Schodiště u Lorety
Steps by the Loretto church
Freitreppe bei dem Loreto
Sanctuaire de Loreto: l'escalier
La gradinata del Santuario di Loreto
La escalinata del Loreto
Лестницы у монастыря Лорета

Sochy na balustrádě Lorety
The statues on the Loretto balustrade
Statuen auf der Balustrade des Loretos
Les statues sur la balustrade devant le Sanctuaire de Loreto
Le statue della balaustra davanti al Santuario di Loreto
Esculturas en la balaustrada del Loreto
Скульптуры на балюстраде Лореты

Lidová plastika sv. Jana Nepomuckého na Novém Světě
Naïve sculpture of St. John Nepomuk in the New World
Volksplastik des hl. Johann Nepomuk in der Neuen Welt
Saint-Jean Népomucène dans le quartier de Nový Svět (Monde Nouveau), art populaire
San Giovanni Nepomuceno del quartiere Nový Svět (Mondo Nuovo), scultura popolare
Una escultura popular de San Juan Nepomuceno en Nový Svět
Скульптура св. Яна Непомуцкого, образец народного творчества, на Новом Свете

Loretánské náměstí
Loretto Square
Loretoplatz
Place Loretánské
Piazza Loretánské
Plaza Loretánské
Лоретанская площадь

Pohled na Černínský palác z Nového Světa
View of the Černín Palace from the New World
Blick auf das Tschernin-Palais von der Neuen Welt aus
Vue du Palais Černín depuis le quartier de Nový Svět (Monde Nouveau)
Vista del Palazzo Černín dal quartiere Nový Svět (Mondo Nuovo)
Vista del palacio Černín desde Nový Svět
Вид на Чернинский дворец из Нового Света

Pohled z Loretánského náměstí do Kapucínské ulice
View from Loretánské square into Kapucínská street
Blick vom Loretoplatz in die Kapuzinergasse
Vue depuis la Place Loretánské en direction de la rue Kapucínská
Vista dalla Piazza Loretánské verso la via Kapucínská
Vista de la calle Kapucínská desde la plaza Loretánské
Вид с Лоретанской площади на улицу Капуцинов

Kostel Nanebevzetí Panny Marie kláštera premonstrátů na Strahově
Church of the Assumption of the Virgin in the Strahov Monastery
Kirche Mariä Himmelfahrt des Prämonstratenserklosters Strahov
L'église de l'Assomption de la Sainte Vierge près le couvent des Prémontrés de Strahov
Chiesa dell'Assunzione della Madonna presso il convento premostratense di Strahov
La iglesia de la Asunción de la Virgen María del monasterio premonstratense de Strahov
Костел Вознесения Девы Марии в монастыре премонстратов на Страгове

Nádvoří Strahovského kláštera premonstrátů
The courtyard of the Premonstratensian monastery Strahov
Hof des Prämonstratenserklosters Strahov
La cour du couvent des prémontrés de Strahov
Il cortile del convento dei premostratensi di Strahov
Patio del monasterio de los Premonstratenses de Strahov
Подворье Страговского монастыря премонстратов

Nové zámecké schody
The New Castle Steps
Neue Schlossstiege
Le Château de Prague: le Nouvel Escalier
Il Castello di Praga: la Gradinata Nuova
La Nueva Escalinata del Castillo
Новые Замковые лестницы

Renesanční dům na Nových zámeckých schodech
Renaissance house on the New Castle Steps
Renaissancehaus auf der Neuen Schlossstiege
Palais Renaissance dans le Nouvel Escalier du Château de Prague
Palazzo rinascimentale sulla Gradinata Nuova del Castello di Praga
Una casa renacentista en la Nueva escalinata del palacio
Дом в стиле Ренессанс на Новых Замковых лестницах

Zlatá ulička
Golden Lane
Goldmachergässchen
La Ruelle d'or
Il Vicolo d'oro
La Callejuela del Oro
Злата уличка

Nerudova ulice
Neruda Street
Neruda-Gasse
Rue Nerudova
Via Nerudova
Calle Nerudova
Нерудова улица

Detail výzdoby ve Valdštejnské zahradě
Detail of the decoration of the Waldstein Garden
Detail der Ausschmückung des Waldsteingartens
Les décorations du Jardin Wallenstein (détail)
Decorazioni del Giardino Wallenstein (dettaglio)
Detalle de una decoración del jardín Wallenstein
Детали украшений в Вальдштейнском саду

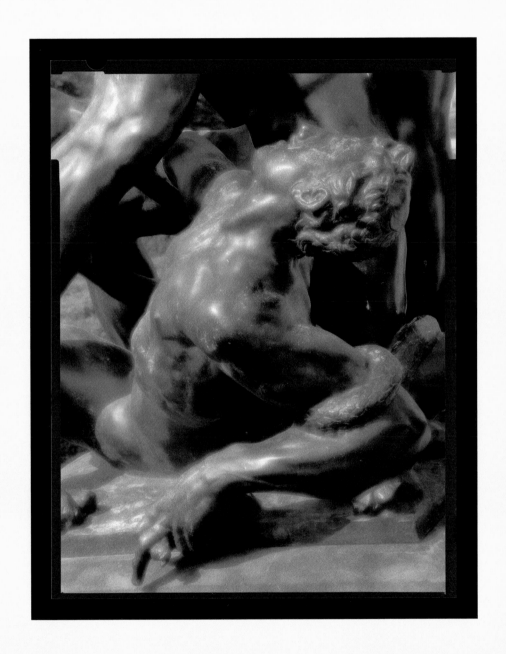

Detail z mytologického sousoší ve Valdštejnské zahradě
Detail from a mythological sculpture group in the Waldstein Garden
Detail einer mythologischen Figurengruppe im Waldsteingarten
Groupe de statues mythologiques dans le Jardin Wallenstein (détail)
Gruppo di statue mitologiche nel Giardino Wallenstein (dettaglio)
Detalle de una escena mitológica en el jardín Wallenstein
Детали мифологической скульптуры в Вальдштейнском саду

Pohled na salu terrenu a plastiky lemující hlavní cestu ve Valdštejnské zahradě
View of the sala terrena and the sculptures along the main path in the Waldstein Garden
Blick auf die Sala terrena und die den Hauptweg im Waldsteingarten säumenden Plastiken
Sala Terrena e les statues bordant le sentier principal du Jardin Wallenstein
Vista della Sala Terrena e delle statue fiancheggianti il sentiero principale del Giardino Wallenstein
Vista de la sala terrena y las esculturas en el paseo central del jardín Wallenstein
Вид на саллу террену и скульптуры, стоящие вдоль главной аллеи в Вальдштейнском саду

Sochařská výzdoba Valdštejnské zahrady
Sculptures in the Waldstein Garden
Bildhauerische Ausschmückung des Waldsteingartens
Les statues du Jardin Wallenstein
Sculture del Giardino Wallenstein
Esculturas que adornan el jardín Wallenstein
Скульптурые украшения в Вальдштейнском саду

Valdštejnská zahrada
The Valdštejn Garden
Wallensteingarten
Le jardin Wallenstein
Il giardino Wallenstein
El jardín Wallenstein
Вальдштейнский сад

Detail ze sousoší ve Valdštejnské zahradě
Detail of a sculpture group in the Waldstein Garden
Detail einer Figurengruppe im Waldsteingarten
Groupe de statues dans le Jardin Wallenstein (détail)
Gruppo di sculture nel Giardino Wallenstein (dettaglio)
Detalle de grupo escultórico en el jardín Wallenstein
Деталь скульптуры в Вальдштейнском саду

Čertovka s mlýnským kolem
The „Čertovka" stream with millwheel
Teufelsbach mit Mühlrad
Čertovka („Bras du diable") avec la roue du moulin du Grand Prieuré
Čertovka („Braccio del diavolo") con la ruota del mulino del Grande Priorato
El brazo del Diablo con la rueda de molino
Старинная мельница на реке Чертовке

Kostel sv. Jana Křtitele Na prádle
St. John Baptist „Na prádle"
Die Kirche St. Johannes des Täufers „Na prádle"
Eglise Saint-Jean du Lavoir
Chiesa di San Giovanni del Lavatoio
La iglesia de San Juan Bautista en el Lavadero
Костел св. Иоана Крестителя На прадле

Vrtbovská zahrada
The Vrtba Garden
Vrtba-Garten
Le jardin Vrtba
Il giardino Vrtba
Jardín Vrtbovská
Вртбовский сад

Karlův most s Národním divadlem
The Charles Bridge with the National Theatre
Karlsbrücke mit dem Nationaltheater
Pont Charles et le Théâtre National
Ponte Carlo e il Teatro Nazionale
El puente de Carlos con el Teatro Nacional
Карлов мост и Национальный театр

Podzimní ráno na Karlově mostě
An autumn morning on the Charles Bridge
Herbstmorgen auf der Karlsbrücke
Pont Charles en automne à l´aube
Ponte Carlo in una mattinata autunnale
Mañana otoñal en el puente de Carlos
Осеннее утро на Карловом мосту

Sousoší sv. Luitgardy na Karlově mostě
The group of statues round St. Luitgarde on the Charles Bridge
Statuengruppe der hl. Luitgard auf der Karlsbrücke
Pont Charles: groupe de Ste-Luitgarde
Ponte Carlo: Gruppo di sta. Luitgarda
Grupo escultórico de Santa Luitgarda en el puente de Carlos
Скульптура св. Лютгарды на Карловом мосту

Časné ráno na Karlově mostě
Early morning on Charles Bridge
Früher Morgen auf der Karlsbrücke
Pont Charles à l´aube
Ponte Carlo all´ora dell´alba
Madrugada en el puente de Carlos
Раннее утро на Карловом мосту

Poezie Karlova mostu
Charm of Charles Bridge
Poesie der Karlsbrücke
La poésie du Pont Charles
La poesia di Ponte Carlo
El encanto del puente de Carlos
Поэзия Карлова моста

Vltava a věže Starého Města
Vltava river und the spires of Old Town
Die Moldau und die Türme der Altstadt
La rivière Vltava et les tours de la Vieille-Ville
Il fiume Vltava (Moldava) e le torri della Città Vecchia
El río Vltava y las torres de la Ciudad Vieja
Влтава и башни Старого Города

Karlův most
The Charles Bridge
Karlsbrücke
Pont Charles
Ponte Carlo
El puente de Carlos
Карлов мост

Pražský hrad z Karlova mostu
Prague Castle from the Charles Bridge
Prager Burg von der Karlsbrücke aus
Le Château de Prague vu du Pont Charles
Il Castello di Praga visto dal ponte Carlo
El Castillo de Praga visto desde el puente de Carlos
Пражский Град – вид с Карлова моста

Malá Strana s Karlovým mostem
Lesser Town with the Charles Bridge
Die Kleinseite mit der Karlsbrücke
Malá Strana et le pont Charles
Malá Strana e il ponte Carlo
Malá Strana con el puente de Carlos
Малая Сторона с Карловым мостом

81

Pohled z Kampy na Karlův most se Staroměstskou mosteckou věží
View from the Kampa Island of Charles Bridge with the Old Town Bridge Tower
Blick von der Kampa auf die Karlsbrücke mit dem Altstädter Brückenturm
Pont Charles avec la Tour de la Vieille-Ville vu depuis Kampa
Ponte Carlo con la Torre della Città Vecchia visto da Kampa
Vista del puente de Carlos y la torre de la Ciudad Vieja desde Kampa
Вид на Карлов мост и Староместскую мостовую башню с острова Кампа

Zimní ráno na Karlově mostě
A winter morning on the Charles Bridge
Wintermorgen auf der Karlsbrücke
L´aube hivernale sur le Pont Charles
Ponte Carlo in una mattinata invernale
Mañana invernal en el puente de Carlos
Зимнее утро на Карловом мосту

83

Sv. Jan Nepomucký na Karlově mostě
St. John of Nepomuk on the Charles Bridge
Hl. Johannes von Nepomuk auf der Karlsbrücke
La statue de St-Jean Népomucène sur le pont Charles
La statua di s. Giovanni Nepomuceno sul ponte Carlo
San Juan Nepomuceno en el puente de Carlos
Статуя св. Яна Непомуцкого на Карловом мосту

Karlův most
The Charles Bridge
Karlsbrücke
Pont Charles
Ponte Carlo
El puente de Carlos
Карлов мост

Karlův most s kostelem sv. Františka a Staroměstskou msoteckou věží
The Charles Bridge with the church of St. Francis and the Old Town Bridge Tower
Karlsbrücke mit der Kreuzherrenkirche und dem Altstädter Brückenturm
Pont Charles et l'église St-François et la Porte du pont du côté de la Vieille-Ville
Ponte Carlo con la chiesa di s. Francesco e la Porta del ponte dal lato della Città Vecchia
El puente de Carlos con la iglesia de San Francisco y la torre de puente de la Ciudad Vieja
Карлов мост с костелом св. Франтишека и Староместской мостовой башней

Křižovnické náměstí
The Square of the Knights of the Cross
Kreuzherrenplatz
Place des Chevaliers de la croix (Křižovnické)
La piazza dei Cavalieri della croce (Křižovnické)
La plaza de los Crucíferos
Кржижовницке намнести или площадь Крестоносцев

Pohled na Karlův most, Malou Stranu a Pražský hrad
View of Charles Bridge, Lesser Town, and Prague Castle
Blick auf Karlsbrücke, Kleinseite und Prager Burg
Pont Charles, Malá Strana et le Château de Prague
Ponte Carlo, Malá Strana e il Castello di Praga
Vista del puente de Carlos, Malá Strana y el Castillo de Praga
Панорама Карлова моста, Малой Стороны и Пражского Града

Pohled z Karlova mostu na domy na Novotného lávce
View from Charles Bridge towards the buildings on the Novotný Footbridge
Blick von der Karlsbrücke auf die Häuser am Novotný-Steg
Les maisons de la Passerelle Novotný vues du Pont Charles
Le case della Passerella Novotný viste dal ponte Carlo
Vista de las casas en la pasarela Novotného desde el puente de Carlos
Вид с Карлова моста на дома на мостике Новотного

Kašna na Uhelném trhu
The fountain in the Coal Market
Brunnen auf dem Kohlenmarkt
La fontaine de la place Uhelný trh (Marché du charbon)
La fontana sulla piazzetta Uhelný trh (Mercato del carbone)
La fuente en Uhelný trh (Mercado del carbón)
Водоем на площади Угольный рынок

Clam - Gallasův palác v Husově ulici
The Clam-Gallas palace in Hus Street
Clam-Gallas-Palais in der Husstraße
Le palais Clam-Gallas dans la rue Husova
Il palazzo Clam-Gallas in via Husova
El palacio de Clam-Gallas en la calle Husova
Клам-Галласов дворец на Гусовой улице

Dům č. 3 U Zlaté studně v Karlově ulici
House Nr. 3 „To the Golden Well" in Karlova street
Haus No. 3 „Zum goldenen Brunnen" in der Karlsgasse
Rue Karlova: la maison «Au puits d´or»
Casa «Al pozzo d´oro» in via Karlova
La casa de la Fuente Dorada en la calle Karlova
Дом № 3 «У Золотого колодца» на Карловой улице

Dům U Zlaté studně v Karlově ulici
The house At the Sign of the Golden Well in Charles Street
Haus „Zum goldenen Brunnen" in der Karlsgasse
Rue Karlova: la maison „Au puits d'or"
Casa „Al pozzo d'oro" in via Karlova
La casa de la Fuente Dorada en la calle Karlova
Дом «У Золотого колодца» на Карловой улице

Staroměstské věže v ranním oparu
Towers of Old Town in the morning mist
Die Altstädter Türme im Morgennebel
Les tours de la Vieille-Ville de bon matin
Le torri della Città Vecchia di buon mattino
Las torres de la Ciudad Vieja en la bruma matutina
Староместские башни в утренней дымке

Praha – město věží
Prague – a city of towers
Prag – die Stadt der Türme
Prague – la ville aux cents tours
Praga – città dalle cento torri
Praga, la ciudad de las torres
Прага – город башен

Palác Granovských v Ungeltu
The Granovský palace in Ungelt
Palais Granovský im Ungelt
Ungelt - Palais des Granovský
Ungelt - Palazzo dei Granovský
Palacio Granovský en Ungelt
Дворец Грановских в Унгельте

Týnský dvůr
The Týn courtyard
Teynhof
La cour du Týn
Il cortile di Týn
El patio de Týn
Тынский двор

97

Domy v Týnské uličce
Houses in Týn Street
Häuser im Teyngässchen
Les palais de la rue Týnská
I palazzetti nella via Týnská
Casas en la calle Týnská
Дома на Тынской улице

Dům U Božího oka v Malé Štupartské
The house At the Sign of God's Eye in Malá Štupartská Street
Haus „Zum Auge Gottes" in der Malá Štupartská Gasse
La maison „A l'oeil de Dieu", rue Malá Štupartská
Casa „All'occhio di Dio" in via Malá Štupartská
Casa "El ojo de Dios" en la calle Malá Štupartská
Дом «У Божьего ока» на Малой Штупартской улице

Secesní dvojdům U Prašné brány
Art Nouveau building next to the Powder Tower
Jugendstil-Doppelhaus beim Pulverturm
Maisons jumelles près la Tour de poudre, Art Nouveau
Case gemelle stile floreale presso la Torre delle Polveri
Doble casa de estilo modernista cerca de la Torre de la Pólvora
Дом в стиле сецесии у Пороховой башни

Secesní nárožní dům v Široké ulici č. 9
Art Nouveau corner house in Široká street Nr. 9
Eckhaus im Jugendstil in der Široká No. 9
Palais Art Nouveau no. 9 au coin de la rue Široká
Palazzo stile floreale no. 9 dell´angolo di via Široká
Casa de estilo modernista en la esquina de la calle Široká No. 9
Дом № 9 на улице Широка в стиле сецессии

Obecní dům hlavního města Prahy
The Municipal Building of Prague
Gemeindehaus der Stadt Prag
Palais municipal de la capitale Prague
Palazzo municipale della capitale Praga
La Casa Municipal de la capital Praga
Обецный (Муниципальный) дом Праги

Hotel Paříž v ulici U Obecního domu
Hotel „Paříž" in the street U Obecního domu
Hotel „Paříž" in der Straße U Obecního domu
Hôtel Paris, rue U Obecního domu
Hotel Parigi, via U Obecního domu
El hotel París en la calle U Obecního domu
Отель «Париж» на улице У Обецного дома

103

Staroměstské náměstí s chrámem sv. Mikuláše
The Old Town Square with the church of St. Nicholas
Altstädter Ring mit St. Niklaskirche
Place de la Vieille-Ville avec l'église St-Nicolas
La piazza della Città Vecchia con la chiesa di s. Niccolò
La plaza de la Ciudad Vieja con la iglesia de San Nicolás
Староместская площадь с храмом св. Микулаша

Podloubí Týnské školy
The arcade of the Týn school
Laubengang der Teynschule
Les arcades de l'école du Týn
I portici della scuola di Týn
Las arcadas de la Escuela de Týn
Аркады Тынской школы

Staroměstská radnice a Týnský chrám
The Town Hall of the Old Town and the Týn church
Altstädter Rathaus und Teyn - Kirche
L'Hôtel de ville de la Vieille-Ville et l'église Notre-Dame-de-Týn
Il municipio della Città Vecchia e la chiesa della Vergine Maria di Týn
El Ayuntamiento de la Ciudad Vieja y la iglesia de Týn
Староместская ратуша и Тынский храм

Staroměstské náměstí s Orlojem a Týnským chrámem
Old Town Square with Horologe and Tyn Church
Altstädter Ring mit Aposteluhr und Teynkirche
Place de la Vieille-Ville avec l'Horloge astronomique et l'église de Týn
Piazza della Città Vecchia con l´Orologio astronomico e la Chiesa di Týn
La plaza de la Ciudad Vieja con el reloj astronómico y la iglesia de Týn
Староместская площадь с Орлоем и Тынским храмом

Maiselova synagoga
The Maisel synagogue
Maiselsynagoge
La synagogue Maisel
La sinagoga Maisel
La sinagoga de Maisel
Майзелова синагога

Španělská synagoga
The Spanish synagogue
Spanische Synagoge
La synagogue espagnole
La sinagoga spagnola
La sinagoga española
Испанская синагога

Staronová synagoga a Židovská radnice
Old-new Synagogue and Jewish Townhall
Altneusynagoge und Jüdisches Rathaus
La Synagogue Vieille-Neuve et la Municipalité juive
La Sinagoga Vecchia-Nuova e il Municipio ebraico
La sinagoga Vieja Nueva y el Ayuntamiento judío
Староновая синагога и Еврейская ратуша

Staronová synagoga
The Old-New synagogue
Altneusynagoge
La synagogue Vieille-Nouvelle
La sinagoga Vecchia-Nuova
La sinagoga Vieja Nueva
Староновая синагога

Socha Mojžíše v parku u Staronové synagogy
Sculpture of Moses in the park next to Old-new Synagogue
Skulptur des Moses im Park bei der Altneusynagoge
La statue de Moïse – parc près la Synagogue Vieille-Neuve
La statua di Mosè – parco presso la Sinagoga Vecchia-Nuova
La estatua de Moisés en el parque al lado de la sinagoga Vieja Nueva
Скульптура Моисея в парке у Староновой синагоги

Socha Mojžíše od Františka Bílka
Sculpture of „Moses" by František Bílek
Skulptur des Moses von František Bílek
La statue de Moïse de František Bílek
La statua di Mosè di František Bílek
La estatua de Moisés obra de František Bílek
Скульптура Моисея Франтишека Билека

Detail náhrobku na Starém židovském hřbitově
A detail of a tombstone in the Old Jewish cemetery
Detail eines Grabsteines auf dem Alten Jüdischen Friedhof
Une des stèles de l'Ancien cimetière juif (détail)
Una delle lapidi del Vecchio cimitero ebraico (dettaglio)
Detalle de un sepulcro en el Viejo Cementerio Judío
Деталь надгробия на Старом еврейском кладбище

114

Starý židovský hřbitov
The Old Jewish cemetery
Der Alte Jüdische Friedhof
Ancien cimetière juif
Vecchio cimitero ebraico
El Viejo Cementerio Judío
Старое еврейское кладбище

Novotného lávka s Muzeem B. Smetany
The Novotný footbridge with the Smetana museum
Novotný-Steg und Bedřich-Smetana-Museum
La passerelle Novotný et le Musée Bedřich Smetana
La passerella Novotný e il Museo di Bedřich Smetana
La pasarela de Novotný con el Museo de Smetana
Новотного лавка с Музеем Б. Сметаны

Pohled z Kampy na Smetanovo nábřeží a Národní divadlo
View of the Smetana Embankment und the National Theater from Kampa Island
Blick von der Kampa auf das Smetana-Kai und das Nationaltheater
Vue depuis Kampa vers le Quai Smetana et le Théâtre National
Vista da Kampa sul Lungofiume Smetana e il Teatro Nazionale
Vista del muelle de Smetana y del Teatro Nacional desde Kampa
Вид с Кампы на Сметанову набережную и Национальный театр

Pohled na Pražský hrad od Rudolfina
View of Prague Castle from the Rudolfinum
Blick auf die Prager Burg vom Rudolfinum aus
Vue du Château de Prague depuis Rudolfinum
Vista del Castello di Praga da Rudolfinum
Vista del Castillo de Praga desde Rudolfinum
Панорама Пражского Града, открывающаяся с дворца Рудольфинум

Pohled na katedrálu sv. Víta z Nového Světa
View of the cathedral St. Vitus from the New World
Blick auf die St. Veitskathedrale von der Neuen Welt aus
Vue de la cathédrale Saint-Guy depuis le quartier de Nový Svět (Monde Nouveau)
Vista della cattedrale di San Vito dal quartiere Nový Svět (Mondo Nuovo)
Vista de la catedral de San Vito desde Nový Svět
Вид на Кафедральный собор св. Вита из квартала Новый Свет

Národní divadlo z Kampy
The National Theatre from Kampa Island
Nationaltheater von der Insel Kampa aus
Le Théâtre National vu de l'île Kampa
Il Teatro Nazionale visto dall'isola di Kampa
El Teatro Nacional visto desde la isla Kampa
С острова Кампа открывается величественный облик Национального театра

Mánes
Mánes
Gebäude der Künstlervereinigung Mánes
Le Palais Mánes
Il palazzo Mánes
El palacio Mánes
Манес

121

Pohled na Vyšehrad se železničním mostem
View of Vyšehrad with the railway bridge
Blick auf den Wyschehrad mit der Eisenbahnbrücke
Vue vers la colline de Vyšehrad et le pont ferroviaire
Vista verso la collina di Vyšehrad e il ponte ferroviario
Vista de Vyšehrad y del puente ferroviario
Вид на Вышеград с Железнодорожным мостом

Vyšehrad ze Smíchova
Vyšehrad from Smíchov
Vyšehrad vom Smíchov aus
Vyšehrad vu du côté de Smíchov
Vyšehrad visto da Smíchov
Vyšehrad visto desde Smíchov
Со стороны квартала Смихов виден древний Вышеград

Pohled na Karlov
A view of Karlov
Anblick des Karlov
Vue de Karlov
Vista di Karlov
Vista de Karlov
Вид на Карлов

Na výběžku vyšehradské skály zbylo torzo tzv. Libušiny lázně
Remains of so called Libussa's Bath on a promontory of Vyšehrad rock
Auf einem Felsvorsprung unter dem Wyschehrad hat sich das Torso des sog. „Libussa-Bads" erhalten
Le promontoire rocheux de la colline de Vyšehrad avec les ruines de la prétendue «baignade de Libuše»
Il promontorio roccioso della collina di Vyšehrad con i ruderi del cosiddetto «bagno di Libuše»
Sobre el promontorio de la roca de Vyšehrad, la ruina del "Baño de la princesa Libusa"
На отроге вышеградской скалы сохранились остатки так называемой бани Либуше

Sousoší J. V. Myslbeka v parku u kostela sv. Petra a Pavla na Vyšehradě
Statue group by Myslbek in the park near St. Peter and Paul on Vyšehrad
Skulpturengruppe von Myslbek im Park bei der Kirche St. Peter und Paul am Wyschehrad
Groupe de statues dans le parc près l'église des Saints-Pierre-et-Paul à Vyšehrad, auteur: J. V. Myslbek
Gruppo di statue nel parco presso la chiesa dei Santi Pietro e Paolo a Vyšehrad, autore: J. V. Myslbek
Escultura realizada por J. V. Myslbek en el parque al lado de la iglesia de San Pedro y San Pablo en Vyšehrad
Скульптура Й. В. Мыслбека в парке у костела св. Петра и Павла на Вышеграде

Kostel sv. Petra a Pavla na Vyšehradě
The church St. Peter and Paul on Vyšehrad
Kirche St. Peter und Paul am Wyschehrad
Eglise des Saints-Pierre-et-Paul à Vyšehrad
Chiesa dei Santi Pietro e Paolo a Vyšehrad
La iglesia de San Pedro y San Pablo en Vyšehrad
Костел св. Петра и Павла на Вышеграде

Rašínovo nábřeží se železničním mostem
The Rašín embankment with the Railway Bridge
Rašín-Kai mit der Eisenbahnbrücke
Quai Rašín et le pont ferroviaire
Lungofiume Rašín con il ponte ferroviario
El muelle de Rašín con el puente ferroviario
Рашинова набережная с Железнодорожным мостом

Pražské mosty z Vyšehradu
Prague bridges from Vyšehrad
Prager Brücken vom Vyšehrad aus
Les ponts de Prague vus de la colline de Vyšehrad
I ponti di Praga - veduta da Vyšehrad
Los puentes praguenses vistos desde Vyšehrad
Пражские мосты с Вышеграда

Jiráskův most a „Tančící dům" na Rašínově nábřeží
Jirásek Bridge and the „Dancing House" on Rašín Embankment
Die Jirásek-Brücke und das „Tanzende Haus" am Rašín-Kai
Le Pont Jirásek et la «Maison dansante» du Quai Rašín
Ponte Jirásek e la «Casa danzante» sul Lungofiume Rašín
El puente de Jirásek y la casa Danzante en el muelle de Rašín
Мост Ирасека (Ираскув мост) и «Танцующий дом» на Рашиновой набережной